병아리

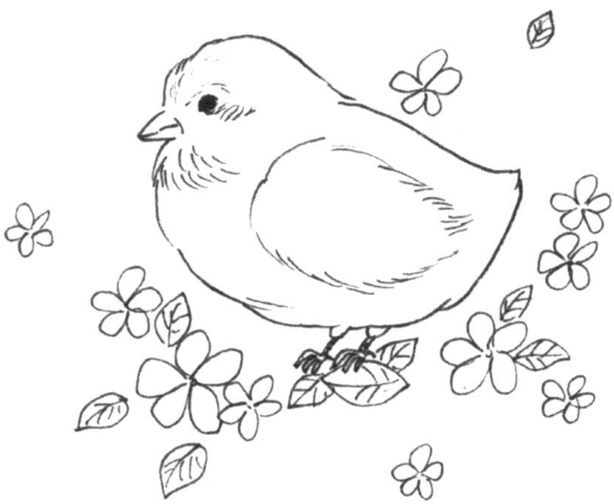

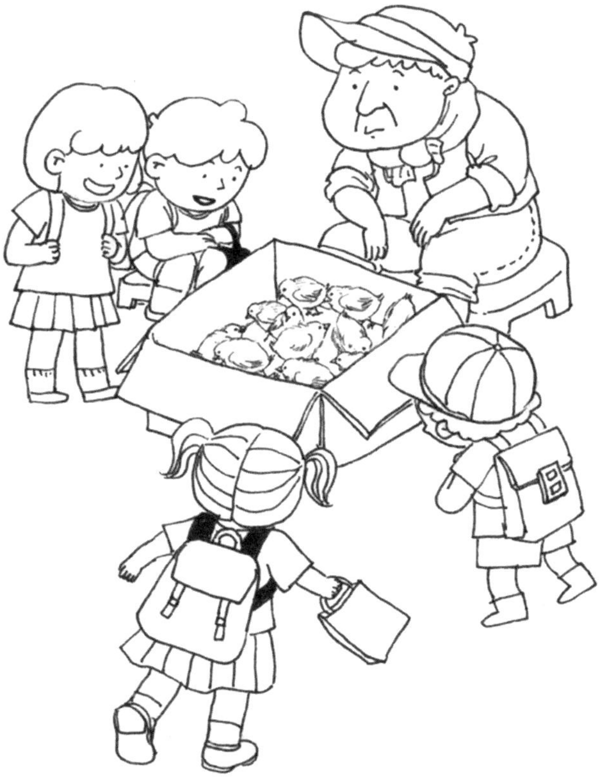

학교 근처에서
병아리를 팔고 있어요.

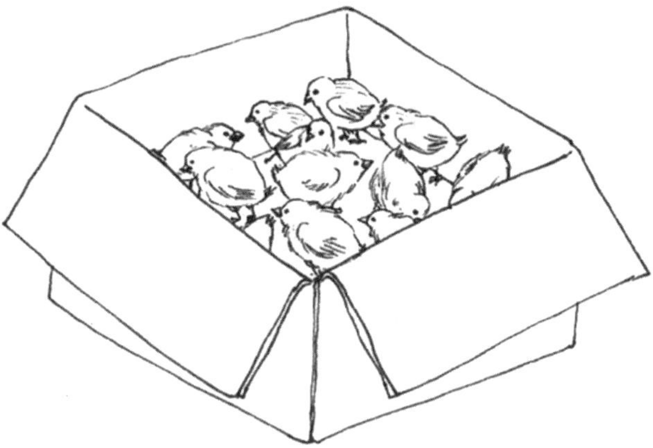

병아리들이 상자 속에서
“삐약 삐약” 울고 있어요.

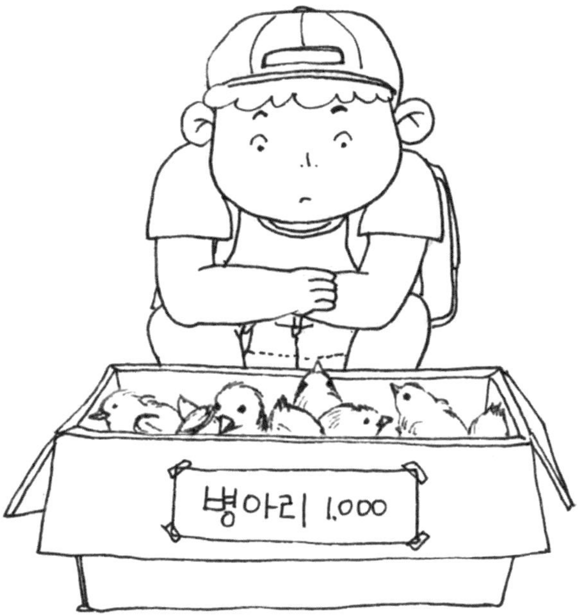

"병아리야, 엄마 보고 싶어?"
"삐약 삐약"

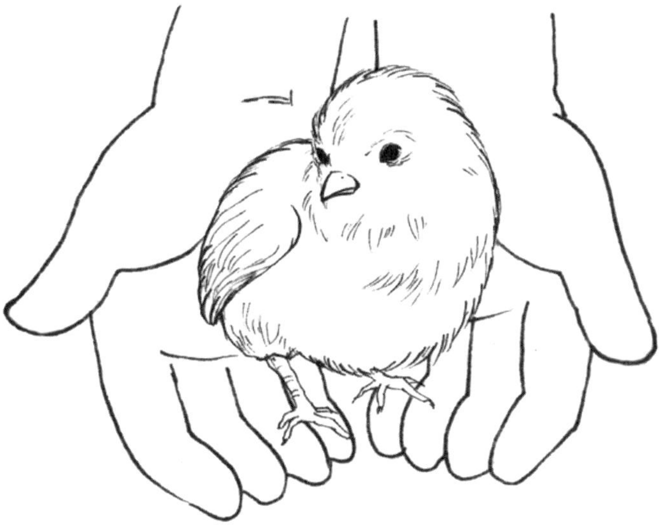

“아저씨, 제일 작은
병아리 한 마리 주세요.”

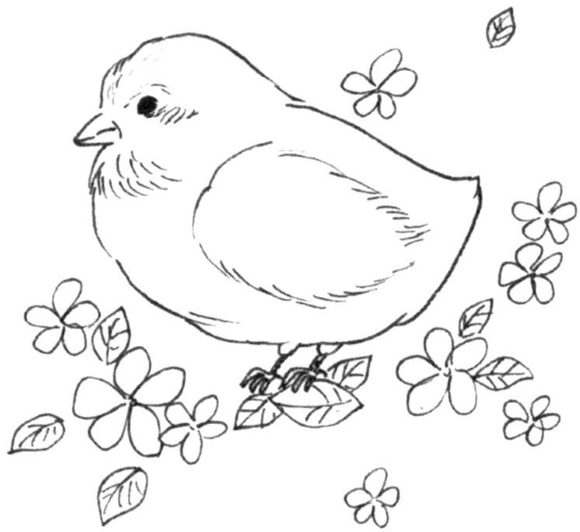

"어머나, 귀여워라."
엄마가 병아리를 보고
말했어요.

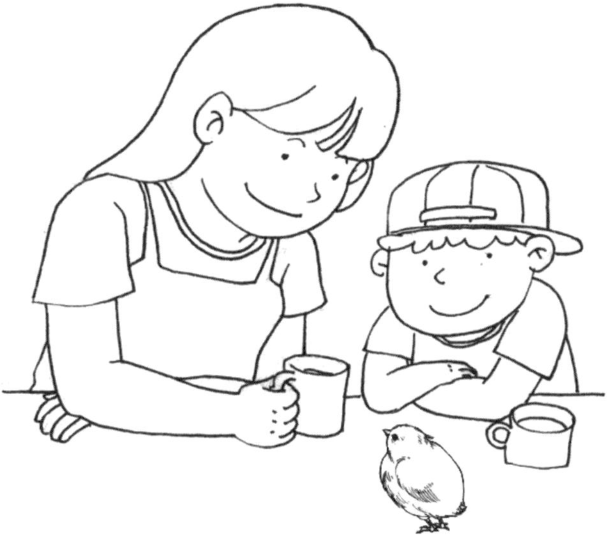

병아리는 엄마를

쳐다보아요.

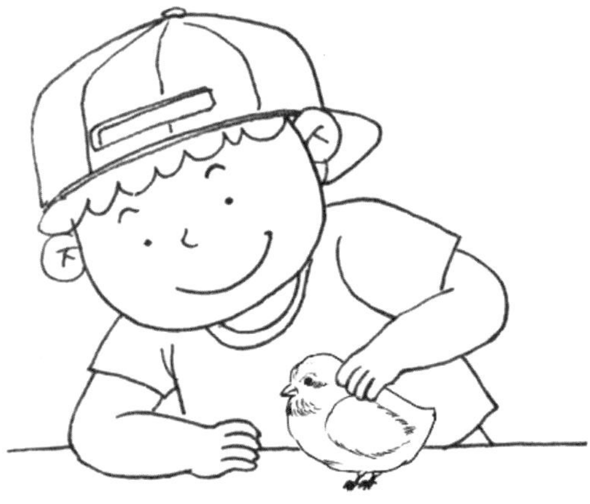

병아리는 더 이상
안 울어요.